R e
S e e
P i c

Re·See·Pic Vol.8
© 박상환 백영선 최치권 주한이 이키키 최유진 정시우 허진, 2020

1판 1쇄 인쇄 2020년 3월 20일 | **1판 1쇄 발행** 2020년 3월 23일

글·사진 박상환 백영선 최치권 주한이 이키키 최유진 정시우 허진
기획 허진 | **디자인** 문지연 | **표지 사진** 최치권

펴낸이 허진 | **펴낸곳** 레시픽 | **등록** 2017년 4월 20일(제2017-000044호)
주소 서울시 중구 삼일대로4길 19, 2층 | **전화** 070-4233-2012
이메일 reseepics@gmail.com | **인스타그램** instagram.com/reseepic

ISBN 979-11-90753-00-5 04660
ISSN 2672-1023 08

이 책은 저작권법에 따라 보호받는 저작물이므로,
저작자와 출판사 양측의 허락 없이는 일부 혹은 전체를 인용하거나 옮겨 실을 수 없습니다.

본문 서체 정보
3_ 최치권_ p.s. Of course~! -Traveler on the road- : **KCC-김훈체**
5_ 이키키_ LIFE IS JOURNEY : **Munro Narrow**

RE · SEE · PIC

Vol.8

CONTENTS

Iquitos Sunset

박 상 환

아마존강 깊숙한 곳에 위치한 이키토스(Iquitos)는 육로로는 갈 수 없는, 즉 배나 비행기로만 접근이 가능한 도시 중 가장 큰 규모를 자랑하는 곳으로 알려져 있다. 그래서 사람들은 이곳을 '육지의 섬'이라 부르기도 했다.

푸칼파(Pucallpa)에서 헨리 6호(Henry 6)를 타고 3박 4일을 이동해

도착한 후(※ReSeePic 6권 참고) 이키토스에 며칠 머물며 배여행으로 인한 피로를 풀고 천천히 이 낯선 곳을 둘러보는 한편, 페루와 에콰도르의 국경에 있는 작은 마을인 판토하(Cabo Pantoja)로 가는 배를 알아보기로 했다. 에콰도르로 넘어가면 페루와는 안녕이었고, 이키토스는 페루에서의 마지막 도시였던 셈이다.

이키토스에 머무는 며칠 동안
가장 보석 같았던 때를 꼽으라면
사람들 사이에서도
별다른 공포나 두려움 없이
편안하게 돌아다니는
길고양이를 만났던 순간들과

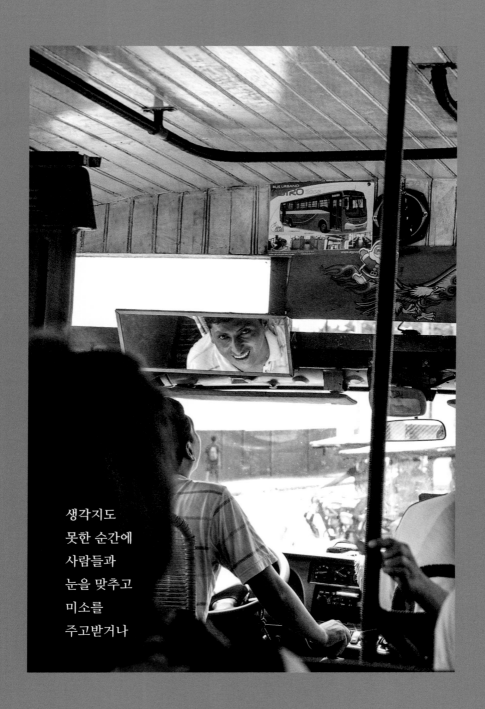

생각지도
못한 순간에
사람들과
눈을 맞추고
미소를
주고받거나

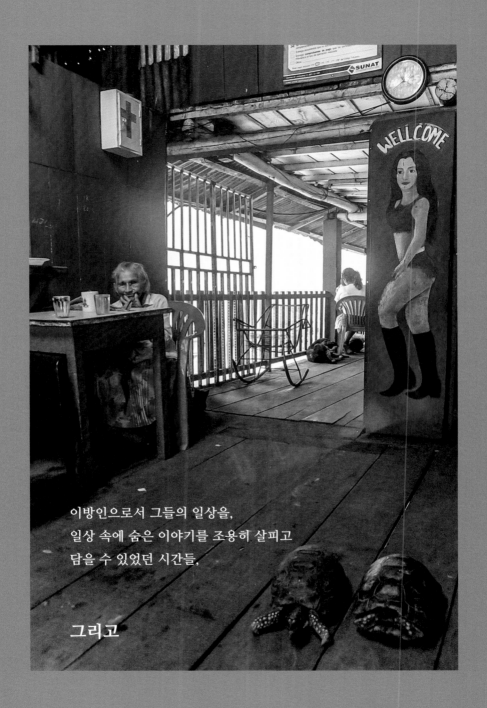

이방인으로서 그들의 일상을,
일상 속에 숨은 이야기를 조용히 살피고
담을 수 있었던 시간들,

그리고

해질 무렵
드넓은 아마존강으로부터
천천히 흘러 들어오는-
마치 아마존에서만 존재할 법한
태고적 생명체를 연상케 하는-
커다란 구름덩어리를
넋을 잃고 바라보았던
때가 아니었을까.
저무는 햇빛을 받아
황금빛이었다가
붉은빛이었다가
이내 잿빛이 되어
거짓말처럼
이키토스와 아마존강을 뒤덮은 채로
굵은 장대비를 쏟아내던 구름은
강가 주변의 풍경과 사물과
어우러져 마법같은
이미지를 펼쳐 보이곤 했는데
그 결과물은 보는 이의
상상력에 따라
제각각 다르고
제각각 풍성하고
제각각 아름다웠을 것이다.

이키토스 이후의 여행기는 ReSeePic 9권에서 계속됩니다.

이방인의 기록, CUBA

백 영 선

눈을 뜨면
세수하기도 전에 발코니로 나간다.
모르는 사람들에게 인사를 실컷 하고는 흔들의자에 몸을 뉘인다.

지금 아바나에 있다는 걸 증명하고 싶다는 마음이었던 것 같다.

¡ Salud!
: 잔을 부딪치며 외치는 말.

어디에선 돈, 누군가는 사랑. 그러나 이곳의 바람은 건강.

아무렇지 않게 소박한,
그러나 결코 소박하지 않은
그 건배사마저 좋았다.

그들처럼 아무렇지 않게
오늘의 우리도,
살룻 ¡ Salud!

다른 사람도 좋아해줬음 싶다가도
나랑 제일 친하면 좋겠다.

그들이 좀 편해졌으면 싶다가도
그대로 있어주면 좋겠다.

원래 그런 곳이니까
그곳이 그러하다는 이유로 미움받지 않았으면 좋겠다.

#욕심인거압니다.

그려 붙인 듯한 하늘
맑든 비오든 기분 좋은 날씨
원색 쨍쨍한 마끼나
빈티지한 골목 건물
멈춘 듯한 시간

그리고,
인심 좋은 쿠바노.

Te gusta Cuba?
- ¡ Claro que si!
Porque?
- ¡ porque Cubano!

¡ A mi me encanta!

해질녘만 되면
터덜터덜 집 반대 방향으로
길따라 걷다가
말레꼰에 가 앉았다.

그렇게 그냥 앉아 있으면
바다가 내게로 왔다가 밀려났다가
다시 왔다가밀려나가는 게
꼭 그날의 내 하루 같아서.

어쩔 수 없이 계속, 가만히 보고만 있었다.

이방인의 신분을 입고도
다시 섞이고 싶어진다.

어쩌면 대단히 이율배반적이나,
얽힘도 외롬도 없이 좀 더 자유롭고 싶은 탓이다.

p.s. Of course~!

Traveler on the road

최 치 권

새까맣게 지운 밤에 태양빛이 그려지면, 여행자는 다시 길을 찾을 수 있을까요?

물론이죠. 여기는 하늘과 맞닿은 바람의 나라

도시의 길을 벗어나면 비로소, 하늘처럼 바람처럼 달릴 수 있을까요?

천마는 하늘을 달리고, 여행자는 대지를 달리고 싶어요.

하늘의 영혼, 땅의 축복 그리고 삶과 사람

삶이 익숙해서 길들여진 자, 끝없이 허기를 채웁니다.

모든 것이 낯설어서 방랑하는 자, 당신은 무엇을 원하나요?

길 위의 여행자여 이 먼 곳까지 와서 조금 더 가까워졌나요?

시간이 다되면 여정을 끝내고 현실로, 집으로 돌아가야 한다는 것을 알아요.

그리고 아직도 살 만하다면 여기를 볼래요? 당신이 돌아왔노라고.

HONGKONG

주한이

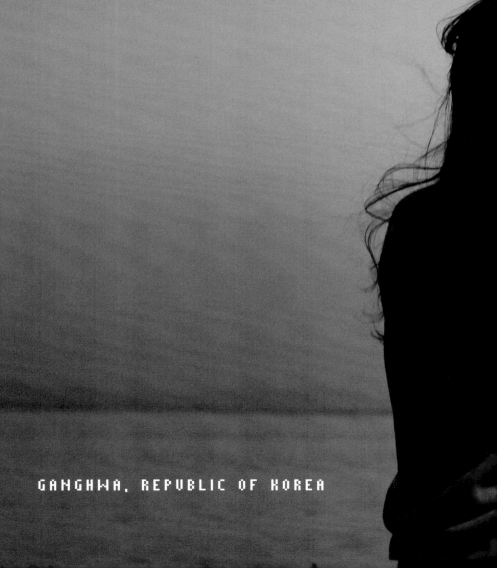

GANGHWA, REPUBLIC OF KOREA

LIFE IS JOURNEY

이 키 키

CAPE TOWN, REPUBLIC OF SOUTH AFRICA

SEOUL, REPUBLIC OF KOREA

SOKCHO, REPUBLIC OF KOREA

SOKCHO, REPUBLIC OF KOREA

SOKCHO, REPUBLIC OF KOREA

SOKCHO, REPUBLIC OF KOREA

CAPE TOWN, REPUBLIC OF SOUTH AFRICA

SEOUL, REPUBLIC OF KOREA

TOKYO, JAPAN

SEOUL, REPUBLIC OF KOREA

멍 때리기 좋은

러시아로

△

□

○

최 유 진

멍

▲ 때
▲ 리
▲ 기
▲

△ △ △ △

즈드랏스부이쩨 !

강렬한 억양에 욕인가 싶기도 하지만,

러시아어로 안~녕? 하세요 ! :)

러시아 여행을 다녀온 사람이라면,

금각교를 배경으로 한 인생 사진 한 장, 아니 한 장보다 더 가지고 있을 거다.

5월인데 추워서 정말 죽을 뻔했다.

러시아, 특히 블라디보스토크는 해안가에 있어서 안개도 많이 끼고 춥기도 춥다.

정말… 챙겨간 옷을 다 껴입었는데도, 오금이 시리고 발목이 없어지는 줄 알았다.

나는 독수리 전망대에 총 3번 방문을 했다.

낮의 전망을 보기 위해 2번, 야경을 보기 위해 1번

3번 중 딱 1번 성공, 드디어 전망을 봤다.

높은 전망대에서는, 골목골목 걸어 다닐 땐 보이지 않았던 것들이 한눈에 담기고

안개가 숨겨놓은 해안 저 끝까지 보이는 저---- 멀리 저 멀리까지---------

눈에 꾸-욱 꾹꾹! 담기 위해 나는 멍을 때려본다.

바람이 치고 가는 차가운 한기를 양볼 빨갛게 고스란히, 코에서는 콧물이 흐른다.

북적거리는 사람들 소리에 귀 기울여보니 다양한 언어, 여러 가지 소리가 섞여

웅성웅성 다들 즐거워 보인다. 나도 덩달아 입가에 미소가 씨---익 :) 나도 즐겁다.

기분 좋은 웃음소리 "하나 둘 셋" "원 투 쓰리" 칙- (사진 찍는 소리)

다만, 바람만은 반기지 않은 듯, 샘이 나는지 참 차다 너무 차다~

날이 맑아도 바람과 함께, 머리카락 휘날리며- 독수리 전망대에서

멍
■ 때
■ 리
■ 기
■

□□□□

네모 상자에는,
무엇이 들어있을까?
내가 제일 좋아하는 갓 나온 뜨거운 블루베리 식빵?
흐흐 보들보들 맛나겠다.
아님, 갓 로스팅 한 원두로 내린 달콤한 바닐라 라떼?
히히 상상만 해도 달콤하네~

블라디보스토크에서부터 - 이르쿠츠크까지
엄청 긴 네모난 기차 안에, 네모난 칸 안에서, 네모난 침대에서 자고 먹고,
네모난 창문을 보면서 약 이틀하고 20시간 21분 동안 생활을 했다.
그중 나의 취/향/저/격은 네모난 창문이었다.
꺼지지 않는 TV 화면처럼 하루 종일 창밖을 봤는데 기분이 좋았다.
참 좋았다. 생각도 쫓기지 않고, 시간에 구애받지도 않고
누워서 기분 좋은 멍을 계속 때려본다.
대화하다 멍 때리고, 밥 먹으면서 멍 때리고, 티 마시면서도 멍 때리고
하루 종일 멍만 때리면 머리 아프냐고요? 심심하냐고요?
대답은 " 아! 니! 요! "
뜻밖에 놓치고 있던 소소함을 찾을 수 있다.
오히려 시간이 너무 빨리 지나가서 아쉬울 따름이다.
내가 찾은 소소함은 바쁜 일상 속에서 잊고 있던,
블루베리 식빵에 바닐라라떼를 좋아하는 내 모습이었다.

SAGA INTERNATIONAL
BALLOON FIESTA

정시우

MAMIYA C330_ KODAK PORTRA 160

MAMIYA C330_LOMOGRAPHY 400

MAMIYA C330_LOMOGRAPHY 400

MAMIYA C330_LOMOGRAPHY 400

MAMIYA C330_ KODAK PORTRA 160

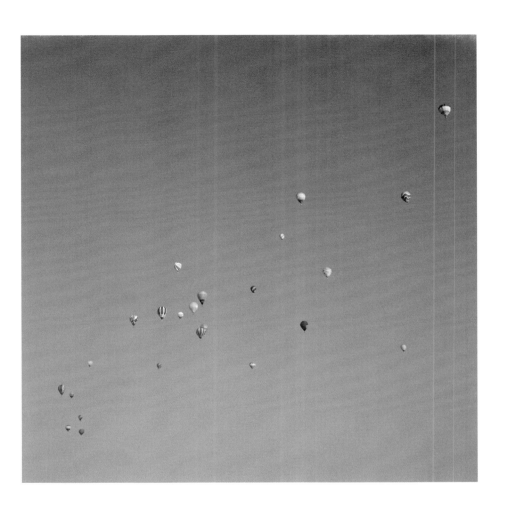

MAMIYA C330_ KODAK PORTRA 160

MINOLTA TC-1_KODAK PORTRA 160NC

MINOLTA TC-1_KODAK PORTRA 160NC

MINOLTA TC-1_KODAK PORTRA 160NC

MINOLTA TC-1_FUJI ASTIA100

MINOLTA TC-1_FUJI ASTIA100

MINOLTA TC-1_FUJI ASTIA100

KONICA HEXAR AF_FUJI PREMIUM 400

LISBOA

허 진

어린 시절 서울에서 익산 집으로 침대칸 기차를 타고 온 적이 있었다.
일반 좌석이 매진되어 어쩔 수 없이 고른 자리였던 걸로 기억하는데,
누워서 듣는 철길 소리와 이따금 차창 밖으로 비춰지는 밤 풍경이
나에겐 좋은 추억으로 남아있던 것 같다.

스페인 여행을 하면서
마드리드–리스본행 야간열차는 꼭 타보고 싶었다.
유럽에서 침대칸 열차, 게다가 이름도 '트렌호텔'이라니 얼마나 근사한가.
리스본 여행은 그렇게 시작되었다.

*트렌호텔(trenhotel) : train hotel

코메르시우 광장에서 오고 가는
짧고 귀여운 구형 트램과 멋있게 잘 빠진 신형 트램,
골목 한가운데 솟아 올라 있는 산타후스타 엘리베이터,
삐그덕거리며 힘겹게 언덕을 오르던 푸니쿨라르

독특한 '탈 것' 덕분에 리스본 풍경은
단편적인 장면으로 기억되기보단
온몸으로 느낀 경험으로 남아있다.

나의 배를 채워준 것은 샌드위치와 피자였지만
기억에 남아있는 건 '에그 타르트'다.

그리고,
사진으로 많이 남겨져 있는 건 제로니무스 수도원이다.

리스본에서 마지막 날
길거리에서 파두 CD를 구입하고,
트램 28번을 타고 다시 리스본 시내를 천천히 구경했다.
가장 맛있게 식사를 했던 레스토랑에 찾아가
바칼라우와 새우스프 그리고 상그리아를 주문했다.
식사를 마치고 광장으로 가서
대서양으로 흘러가는 테주강을 바라보았다.

지난 여행 사진을 보다가 문득 생각이 나서
소설책 '리스본행 야간열차'를 구입했다.
다음 날 도착 예정이던 택배가 웬일인지 3일이나 지연되었다.

책이 조금 더 빨리 도착 했더라면,
지금과는 다른 글을 쓰고 있을까?

나와 같은 시간에 무심코 스쳐지나간 인연과
만나지 못한 다른 시간의 경험들을 상상하며
리스본 여행을 추억해본다.

박 상 환

sangfun@gmail.com

www.sangfunpark.com

Instagram.com/sangfun

페루 이키토스(Iquitos, Peru), 2010

백 영 선

travel_sol@kakao.com

instagram.com/journey_sol

carpeelle.blog.me

쿠바(Cuba), 2017

이 키 키

eldortm@naver.com

instagram.com/ki_ki_zz

일본, 2016   대한민국, 2018~2019

남아프리카 공화국, 2020

최 유 진

yoojjin7@naver.com

instagram.com/sstar_l_lumen

러시아 블라디보스토크 – 이르쿠츠크

(Vladivostok – Irkutsk , Russia), 2019

최 치 권

chikwonchoi@gmail.com

www.chikwonchoi.com

instagram.com/its_fine_chikony

몽골(Mongolia), 2014

주 한 이

hanni840921@gmail.com

instagram.com/hanni0921

홍콩(Hong kong), 2019

정 시 우

shooshoes@naver.com

instagram.com/jdshoo

일본 사가현 (Saga, Japan), 2017

허 진

lumimaster@gmail.com

instagram.com/okiobba

포르투갈 리스본(Lisboa, Portugal), 2014

여행을 다녀오고 사진만 남은 줄 알았는데,
자세히 보니 사이사이 이야기 꽃이 피었습니다.
다시 보고 싶은 사진책, Re·See·Pic